FRENCH SENTENCE BUILDERS

A lexicogrammar approach

PRIMARY

ANSWER BOOK

 THE LANGUAGE GYM

Edited by:

Lou Smith

THE LANGUAGE GYM

Table of Contents

THE LANGUAGE GYM

UNIT 1 - JE M'APPELLE

LISTENING

1. Listen and complete with the missing vowel
a. je m'appelle   b. as-tu?   c. six   d. sept   e. quatre   f. dix   g. douze   h. onze   i. comment   j. tu

2. Can you help the penguin to break the flow?
a. Salut! Je m'appelle Anne et j'ai six ans.   b. Bonjour! Je m'appelle Charlotte.
c. Salut! Je m'appelle Philippe. J'ai huit ans.   d. Salut! Je m'appelle Joseph. J'ai douze ans.
e. Salut! Je m'appelle Marie. Comment tu t'appelles? f. Quel âge as-tu? J'ai sept ans.

3. Listen and tick one option for each sentence
a. 2 Je m'appelle <u>Patrice.</u>   b. 1 J'ai <u>onze ans.</u>   c. 3 J'ai <u>huit ans.</u>   d. 3 <u>Comment tu t'appelles?</u>

4. Complete with the missing syllables in the box below
a. Comment tu t'ap**pelles**?   b. Je **m'ap**pelle Vanessa.   c. **J'ai** cinq ans.   d. Bonjour!
e. Salut! Je m'appelle Joseph.   f. Quel âge **as**-tu?   g. J'ai **sept** ans.   h. J'ai **huit** ans.
i. Je m'appelle Gui**llaume**.   j. **Salut!** Je m'appelle Sophie.

5. Fill in the grid with the correct name and age ✏

a. Je m'appelle Estelle. J'ai huit ans.   Estelle ; 8
b. Bonjour! Je m'appelle Joseph. J'ai six ans.   Joseph ; 6
c. Salut! Je m'appelle Sophie et j'ai onze ans.   Sophie ; 11
d. Comment tu t'appelles? Je m'appelle Pierre et j'ai sept ans.   Pierre ; 7

6. Faulty Echo.
a. J'ai neuf <u>ans.</u> (anse)   b. Salut! J'ai <u>douze</u> ans. (dousse)
c. <u>Bonjour!</u> Je m'appelle Marie. (bondjour)   d. <u>Salut!</u> J'ai onze ans. (salute)
e. Salut! Je m'<u>appelle</u> Guillaume et j'ai huit ans. (apple)   f. Je m'appelle <u>Jean.</u> (Gin)
g. Quel âge as-<u>tu</u>? (too)

7. Track the sounds: Listen and write down how many times you will hear the sound
1. **A: 7 times**   salut, **Anne**, Paul, **David**, **Fabien**, quatre, **Marie**, **Vanessa**
2. **E: 3 times**   Claude, **Denise**, **je** m'appelle, Joseph, Sophie, Vanessa
3. **I: 7 times**   **David**, bonjour, **Guillaume**, un, **Marie**, trois, **Patricia**, **Sophie**, dix
4. **O: 2 times**   Pierre, **Robert**, an, **Sophie**, trois, onze, six
5. **U: 2 times**   **salut**, quatre, bonjour, **tu**, sept

8. Spot the Intruder.
Identify and underline the word in each sentence the speaker is NOT saying
e.g. Je m'appelle Anne <u>salut</u>.   *salut*
a. Comment tu t'appelles? Je <u>ne</u> m'appelle <u>pas</u> Pierre.   **ne pas**
b. Quel âge as-tu? J'ai <u>trois</u> six ans.   **trois**
c. Bonjour! <u>J'ai</u> Je m'appelle Béatrice.   **j'ai**
d. Salut Joseph! <u>Et</u> quel âge as-tu?   **et**
e. Salut! <u>Deux</u> je m'appelle Benjamin et j'ai dix ans.   **deux**

THE LANGUAGE GYM

9. Spelling Challenge (1-12) Listen and complete the French words with the missing letter.

a. deux   b. un   c. six   d. neuf   e. cinq   f. dix

g. huit   h. trois   i. quatre   j. sept   k. douze   l. onze

10. Listen and circle the correct number

a. sept, 7   b. dix, 10   c. onze, 11   d. cinq, 5   e. douze, 12

VOCABULARY BUILDING

1. Match Up

1. e   2. a   3. g   4. b   5. c   6. h   7. j   8. i   9. d   10. f

2. Broken Words

a. J'ai   b. huit   c. six   d. ans   e. je m'appelle   f. douze   g. un   h. sept   i. neuf   j. dix

3. Complete the sentences with the missing words below

a. J'ai **sept** ans.   b. Je m'**appelle** Dylan.   c. J'ai **onze** ans.

d. Comment tu t'appelles?   e. Quel âge **as-tu?**   f. **Salut!** Je m'appelle Anne.

g. J'ai **douze** ans.   h. Je m'appelle Pat et **j'ai** treize ans.

4. Sentence Building Blocks

a. J'ai cinq ans.   b. Quel âge as-tu?

c. Je m'appelle Jean et j'ai douze ans.   d. Je m'appelle Irène et j'ai onze ans.

READING

1. Sylla-Bees

a. Je m'appelle Pierre.   b. J'ai douze ans.   c. J'ai onze ans.

2. True or False

1a. true   1b. false (Marie)   1c. false (10)   1d. true

2a. false (Stéphane)   2b. true   2c. true   2d. false (11)

WRITING

1. Spelling

a. je m'**appelle**   b. J'ai dix ans.   c. quatre ans   d. neuf ans

e. Comment tu t'appelles?   f. Quel âge as-tu?   g. J'ai onze ans.

2. Anagrams

a. J'ai huit ans.   b. Je m'appelle Anne.   c. J'ai douze ans.   d. J'ai sept ans.   e. J'ai onze ans.

3. Faulty Translation

a. I am **7** years old.   b. I am **3** years old.   c. How **old are you?**

d. **What's your name?**   e. **Hi!** My name's Ben.

4. Phrase-level Translation

a. J'ai huit ans.   b. Je m'appelle….   c. Comment tu t'appelles?   d. J'ai douze ans.

e. Quel âge as-tu?   f. Bonjour!   g. Salut!   h. J'ai dix ans.

THE LANGUAGE GYM

UNIT 2 - ALPHABET AND PHONICS

LISTENING

1. Listen and write the alphabet as you hear it.
(Mon nom s'écrit…)
No fixed answer. Students write down letters of the alphabet and compare them with their classmates. Whole-class discussion.

2. Fill in the gaps with the missing letters
Transcript: "ça s'écrit…"

a. Nadège   b. Denise   c. Robert   d. Patrice   e. Christine   f. Carine
g. Coralie   h. Céline   i. Jacques   j. Valérie

3. Complete the words with the missing letters
a. Comment ça s'écrit?   b. Je m'appelle Marie.   c. Je m'appelle Benjamin.
d. Ça s'écrit…   e. Je m'appelle Jean.

4. Listen and choose the correct spelling
a. 2 – je m'appelle…   b. 1 - ans   c. 2 - Jean   d. 2 - anniversaire
e. 1 - espagnol   f. 2 - Julie   g. 1 - Joseph   h. 1 - vert
i. 2 - enfant   j. 1 - Guillaume

5. Listen and tick the letter you hear
1. G   2. H   3. J   4. N   5. E   6. C
7. V   8. U

6. Listen and write the names being spelled out:
1. Pierre   5. Alice
2. Louise   6. Maurice
3. Jean   7. Margot
4. Marie   8. Agathe

THE LANGUAGE GYM

UNIT 3 – COMMENT ÇA VA?

LISTENING

1. Listen and tick the word you hear

e.g. 1 bonjour   a. 1 comme ci comme ça   b. 1 calme   c. 2 fatigué   d. 3 heureux   e. 3 détendu

2. Listen and complete with the missing vowel

a. Je suis heureuse.   f. Je suis triste.   k. Ça va très mal.
b. Bonsoir.   g. Je suis fatigué.   l. Je suis détendue.
c. Je suis calme.   h. Salut! Je m'appelle Robert.   m. Je suis nerveuse.
d. Bonne nuit!   i. Ça va très bien.   n. Salut!
e. Ça va super bien.   j. Bonjour!

3. Complete with the missing syllables in the box below

a. Je suis **stress**ée.   e. Ça va **très** bien.   h. Salut! Je m'appelle Marie.
b. Ça va **bien**.   f. Ça va bien **parce** que je suis heureux.   i. Je suis **fati**guée.
c. **Bon**jour!   g. Je suis cal**me**.   j. Ça va mal parce que je suis **nerv**eux.
d. **Bon**soir!

4. Listen and choose the correct spelling

a. 1   b. 1   c. 2   d. 1   e. 2   f. 2   g. 1   h. 2   i. 2   j. 1

5. Break the flow: Draw a line between words

a. Ça va bien parce que je suis heureux.   d. Ça va? Ça va comme ci comme ça, merci.
b. Ça va mal parce que je suis fatigué.   e. Salut! Je m'appelle Joseph. Ça va bien.
c. Salut! Ça va mal parce que je suis triste.

6. Fill in the grid with the correct information in English

a. André ; good morning/afternoon ; very well   b. Daniel ; good morning/afternoon ; nervous
c. Jean ; hello ; sad.   d. Benoît ; good morning/afternoon ; calm
e. Belle ; good morning/afternoon ; relaxed

7. Faulty Echo

e.g. <u>Salut,</u> ça va très bien. *(salute)*

a.   Bonjour, ça va comme ci comme <u>ça</u>. (ka)
b.   Ça va bien <u>parce que</u> je suis heureux. (parque)
c.   Ça va bien parce que je suis <u>détendue</u> (détENdue)
d.   Ça va? Ça va super <u>bien</u>. (bien Spanish accent)
e.   Ça va mal parce que je suis <u>triste</u>. (triste Spanish accent)
f.   Ça va <u>super</u> bien parce que je suis calme. (zuper)
g.   Bonjour, ça va très <u>mal</u>. (male)

8. Spot the Intruder. Identify the word in each sentence the speaker is NOT saying

a. Bonsoir! Je suis <u>calme</u>, détendu et ça va bien.   calme
b. Bonjour <u>bonsoir</u>! Ça va comme ci comme ça parce que je suis triste.   bonsoir
c. Ça va super bien parce que <u>j'ai</u> je suis calme.   j'ai
d. Salut! Ça va mal parce que je <u>ne</u> suis <u>pas</u> fatiguée.   ne pas
e. Ça va? Ça va <u>très</u> bien.   très

4

9. Narrow Listening - Gap-fill

a. Salut! Ça va **bien** parce que je suis heureux.

b. **Bonsoir**, ça va mal parce que je suis **nerveux**.

c. Ça va bien parce que je suis **détendue**.

d. Ça va? Ça va très bien, **merci**.

e. Salut! **Ça va** comme ci comme ça parce que je suis **calme**.

f. Ça va? Je suis **heureuse** mais fatiguée.

VOCABULARY BUILDING

1. Match Up

1. e   2. a   3. f   4. i   5. h   6. c   7. d   8. g   9. b

2. Broken Words

a. mal   b. **super bien**   c. fatigué(e)   d. bien   e. bon**jour**   f. au **revoir**   g. par**ce que**   h. je **suis**

i. **très** bien

3. Complete the sentences with the words in the box below

a. Ça va **super** bien parce que je suis heureux.   b. Ça **va** mal parce que je suis fatigué.

c. Ça va bien **parce que** je suis calme.   d. Ça va comme ci comme ça parce que je suis **triste**.

e. **Ça va?** Ça va très bien parce que je suis **détendu**.

READING

1. Sylla-Bees

a. Ça va super bien, merci.   b. Comment ça va? Je suis heureux.   c. Ça va? Je suis fatiguée et triste.

2. Read the sentences and complete the grid below in English

a. Houda ; 11 ; great ; happy   b. Théo ; 10 ; well ; relaxed   c. Lola ; 6 ; feeling bad ; tired

d. Simone ; 9 ; well ; calm   e. Damien ; 12; bad ; nervous

WRITING

1. Spelling

a. Ça va bien.   b. Ça va super bien.   c. parce que je suis heureux

d. parce que je suis triste   e. parce que je suis détendu   f. Comment ça va?

g. Ça va? Ça va mal.

2. Anagrams

a. Je suis nerveux.   b. Je m'appelle Paul.   c. Je suis stressé.   d. Je ne suis pas heureux.

3. Faulty Translation

a. I am very well.   b. How are you?   c. I am relaxed.   d. I am sad.

e. Good morning/Hello! How are you?

4. Phrase-level Translation

a. Ça va bien.   b. Ça va très mal.   c. Ça va? / Comment ça va?   d. Je suis détendu.

e. Je suis stressé.   f. Je suis heureuse.   g. Salut! Ça va super bien.   h. Je suis calme.

i. Je suis détendue.

THE LANGUAGE GYM

UNIT 4 – MON ANNIVERSAIRE

LISTENING

1. Listen and tick the word you hear
a. 3   b. 2   c. 1   d. 2   e. 3   f. 2

2. Faulty Echo. You will listen to the sentence twice. The first one is correct, and the second one has an incorrect sound. Underline the wrong sound in each sentence.
e.g. J'ai <u>six</u> ans.
a. mon <u>anniversaire</u> est…   b. …le <u>dix-neuf</u> avril   c. Je <u>m'appelle</u> Lorène.
d. …le vingt-six <u>juin</u>   e. …le <u>dix-huit</u> octobre   f. J'ai <u>onze</u> ans.
g. …le <u>seize</u> décembre   h. …le <u>trois</u> mars

3. Listen and complete with the missing letters
a. le douze mars   b. le **qu**atorze février   c. le trois juillet
d. le vingt-six juin   e. le vingt septembre   f. le quinze octobre
g. J'ai huit ans.   h. le trente janvier

4. Complete with the missing syllables in the box below
a. J'ai **douze** ans.   f. le douze **juin**
b. le vingt-**huit** septembre   g. le **quatre** mars
c. le trente-et-un **juillet**   h. le trois **jan**vier
d. mon anniversaire est…   i. le **vingt**-cinq mai
e. le **dix**-sept août   j. le **tren**te avril

5. Break the flow:
a. Mon anniversaire est le dix-sept novembre.   b. Je m'appelle Marie. J'ai onze ans.
c. Mon anniversaire est le quatre août.   d. Quelle est la date de ton anniversaire? Le deux avril.
e. Mon anniversaire est le vingt-deux mai.   f. Mon anniversaire est le treize février.

6. Fill in the grid with the correct date of birth
a. 15th January   b. 18th September   c. 24th October   d. 27th November   e. 5th June

7. Spot the Intruder. Identify the word in each sentence the speaker is NOT saying
a. Mon anniversaire est le dix-neuf <u>huit</u> septembre.   huit
b. Mon anniversaire est le <u>salut</u> vingt janvier.   salut
c. Quelle est <u>j'ai</u> la date de ton anniversaire?   j'ai
d. Je m'appelle Pierre. Mon anniversaire est le <u>an</u> deux février.   an
e. Mon anniversaire est le quinze <u>je m'appelle</u> juin.   je m'appelle
f. Mon <u>novembre</u> anniversaire est le trente-et-un octobre.   novembre

8. Catch it, Swap it: rewrite the wrong word
a. J'ai **treize** ans.   b. J'ai **dix** ans.   c. …le **vingt-et-un** octobre   d. J'ai **douze** ans.
e. …le **trois** avril   f. …le quatre **juin**   g. …le six **octobre**

6

9. Listen: tick or cross

a. X (12 years old)   b. ✓   c. X (13th February)   d. ✓   e. ✓   f. X (15th June)

READING

1. Sylla-bees

a. le quatorze avril   b. le seize novembre   c. Mon anniversaire est le treize janvier.

2. True or False

1a. true   b. false (very well)   c. false (7)   d. false (19th of September)

2a. false (Richard)   b. false (tired)   c. true   d. false (21st of April)

3A. Tick or Cross

a. ✓   b. X   c. ✓   d. X   e. ✓   f. X

g. X   h. ✓   i. ✓   j. X   k. X

3B. Find the French in the text above

a. Je m'appelle…   b. mon anniversaire est…   c. J'ai sept ans.   d. parce que je suis calme.

4. Language Detective

A. Find someone who…

a. Pierre   b. Francis   c. Pierre   d. Sébastien   e. Véronique   f. Sébastien

g. Pierre

B. Odd one out: I am 11 years old. (odd chunk)

WRITING

1. Spelling

a. Bonjour!   b. mon anniversaire   c. le trois novembre   d. le cinq avril

e. le treize janvier   f. le quinze juillet   g. J'ai six ans.

2. Anagrams

a. sept octobre   b. quatorze août   c. onze décembre   d. trente juin

3. Gapped Translation

a. I am seven years old.   b. I am six years old.   c. I am not tired.   d. I am happy.

e. the 16th of February   f. the 23rd of August   g. Good morning/afternoon!

4. Match Up

a. 3   b. 6   c. 2   d. 1   e. 4   f. 5

5. Rock Climbing

a. Je m'appelle Francis. Mon anniversaire est le trois mai.

b. J'ai douze ans. Mon anniversaire est le vingt-trois juin.

c. Mon anniversaire est le vingt-huit mars. J'ai dix ans.

d. J'ai onze ans. Mon anniversaire est le cinq juillet.

e. Quelle est la date de ton anniversaire? C'est le quinze janvier.

THE LANGUAGE GYM

6. Mosaic Translation
a. J'ai treize ans. Mon anniversaire est le dix-huit avril.

b. Quel âge as-tu? J'ai douze ans.

c. Je m'appelle Anne. Mon anniversaire est le vingt-deux août.

d. Quelle est la date de ton anniversaire? C'est le seize décembre.

e. Mon anniversaire est le trente-et-un octobre. J'ai onze ans.

7. Sentence Puzzle
a. Mon anniversaire est le treize septembre.

b. Quelle est la date de ton anniversaire?

c. Mon anniversaire est le douze avril.

d. Je m'appelle Claude et j'ai neuf ans.

e. Mon anniversaire est le dix-neuf janvier.

f. Mon anniversaire est le vingt-quatre décembre.

g. Je m'appelle Claire et j'ai quatorze ans.

h. Je m'appelle Marie et mon anniversaire est le douze janvier.

i. Quel âge as-tu? J'ai sept ans.

8. Tangled Translation
a. Hello, **my name is** Philippe. **I am** very well **because I am** happy. **I am** ten **years old**. **My birthday is the 20th of** January. When is **your birthday?**

b. Salut! **Je m'appelle** Elise. Ça va mal **parce que** je suis **fatiguée**. J'ai onze **ans**. **Mon anniversaire** est le huit juillet. Quelle est la date de **ton anniversaire?**

9. Fill in the Gaps
a. Salut! Je **m'appelle** Alexandre. Ça va **bien** parce que **je suis** heureux. J'ai quatorze **ans**. Mon anniversaire est le **quinze** octobre.

b. Salut! Je m'appelle Enzo. **J'ai** neuf ans. Ça va mal **parce que** je suis **triste**. Mon anniversaire **est** le vingt-deux **février**.

10. Guided Translation
a. Je m'appelle Simone et j'ai onze ans.

b. Ça va très bien parce que je suis calme.

c. Ça va mal parce que je suis fatiguée.

d. Mon anniversaire est le quinze août.

e. Quelle est la date de ton anniversaire?

11. Pyramid Translation
Salut, je m'appelle Jean. J'ai dix ans. Mon anniversaire est le vingt-quatre octobre.

THE LANGUAGE GYM

UNIT 5 – MON ANIMAL DOMESTIQUE

LISTENING

1. Listen and complete with the missing vowel
a. un chien
b. un cheval
c. un chat
d. un poisson
e. une tortue
f. un mouton
g. un lapin
h. une poule

2. Listen and tick the word you hear
a. 2   b. 3   c. 1   d. 2   e. 3

3. Complete with the missing syllables in the box below
a. un chien **marron**
b. une **pou**le blanche
c. un che**val** gris
d. un poisson **bleu**
e. un la**pin** marron
f. une araignée noire
g. un mouton **rouge**
h. un **chat** gris

4. Complete the words with the missing endings
a. un oiseau jaune
b. un mouton rose
c. un perroquet rouge
d. un chat gris
e. une tortue verte
f. un chien blanc
g. un petit pingouin
h. une poule noire
i. un poisson vert
j. un cochon d'Inde marron

5. Write the missing word as you hear it – Students transcribe as they hear it
a. un **oiseau** bleu
b. une **poule** blanche
c. une grande **poule**
d. une **araignée** jaune
e. une souris **grise**
f. J'ai un **perroquet**.
g. un **lapin** rose
h. une **tortue** rouge
i. Je n'ai pas **de** chat.
j. un chien **marron**
k. un **pingouin** noir

6. Faulty echo
a. Je n'ai pas de <u>pingouin</u> gris.
b. J'ai un <u>mouton</u> rose.
c. Je n'ai pas de <u>poisson</u> bleu.
d. Je n'ai pas de <u>petit</u> chat.
e. Tu as une petite <u>poule</u>?
f. Tu n'as pas de <u>cheval</u> marron.
g. Tu n'as pas <u>d'animaux</u>.
h. J'ai une tortue <u>verte</u>.
i. J'ai un <u>perroquet</u> jaune.
j. Je n'ai pas d'araignée <u>rouge</u>.

7. Listen and choose the correct spelling
a. 2   b. 1   c. 2   d. 2   e. 2   f. 1   g. 1   h. 2   i. 1   j. 2   k. 1   l. 2

8. Fill in the grid – in English
a. cat ; black
b. bird ; blue
c. sheep ; white
d. parrot ; yellow
e. fish ; orange
f. rabbit ; white

THE LANGUAGE GYM

9. Spot the intruder
Identify the word in each sentence the speaker is NOT saying

a. J'ai un poisson bleu et un <u>deux</u> chat gris.   deux

b. As-tu un animal? <u>Non</u>, je n'ai pas d'animaux.   non

c. Tu as un cheval blanc qui <u>comment</u> s'appelle Rocky.   comment

d. J'ai un <u>pas</u> grand chien marron.   pas

e. Tu n'as pas de <u>grande</u> tortue mais tu as une petite souris.   grande

f. J'ai un pingouin gris <u>blanc</u> qui s'appelle Dixie.   blanc

10. Catch it, Swap it
Listen, spot the difference between what you hear and the written text and edit each sentence accordingly.
Transcript

e.g. J'ai un <u>lapin</u> blanc.   lapin → **mouton**

a. Tu as un **petit** cheval gris.   grand → **petit**

b. Je n'ai pas de **mouton** noir et jaune.   oiseau → **mouton**

c. J'ai un **chien** mais je n'ai pas de mouton.   lapin → **chien**

d. Tu n'as pas de poisson **vert** mais tu as une poule.   bleu → **vert**

e. As-tu un animal? Oui, j'ai un **cheval** noir.   chien → **cheval**

f. Je n'ai pas de **souris** mais j'ai un cochon d'Inde.   pingouin → **souris**

g. J'ai un **grand** perroquet qui s'appelle Rocky.   petit → **grand**

11. Listening Slalom

e.g. J'ai un chat noir.   *(I have a black cat.)*

a. Tu as un cheval rose.   (You have a pink horse.)

b. Je n'ai pas de lapin jaune.   (I don't have a yellow rabbit.)

c. J'ai un chien gris.   (I have a grey dog.)

d. Tu n'as pas de souris marron.   (You don't have a brown mouse.)

e. J'ai une tortue bleue.   (I have a blue tortoise.)

f. Je n'ai pas de poisson blanc.   (I don't have a white fish.)

READING

1. Sylla-Bees
a. J'ai un poisson rouge.   b. Tu as un perroquet marron et rose.   c. J'ai une souris marron et grise.

2. Read, Match, Find and Colour

A. Match these sentences to the pictures above

a. rabbit   b. turtle   c. penguin   d. hen   e. fish   f. dog   g. cat
h. sheep   i. parrot   j. horse

B. Using the sentences in task A find the French for:

a. un perroquet rouge   b. J'ai un poisson.   c. un lapin gris   d. une tortue verte
e. marron et gris   f. un petit chat   g. un grand cheval   h. J'ai un pingouin.
i. tu n'as pas de   j. je n'ai pas de

THE LANGUAGE GYM

3. True or False

1. a. true   b. false (5ᵗʰ of June)   c. false (a grey horse)   d. true
2. a. false (8)   b. false (13ᵗʰ of May)   c. true   d. false (Pilou)

4. Tick or Cross

A. Read the text. Tick the box if you find the words in the text, cross it if you do not find them

a. ✓   b. X   c. ✓   d. X   e. X   f. ✓   g. ✓   h. ✓   i. X   j. ✓   k. X   l. ✓

B. Find the French in the text above

a. Je m'appelle…   b. Mon anniversaire est…   c. C'est un grand chat.
d. As-tu un animal?   e. J'ai un lapin noir.

5. Language Detective

A. Find someone who…

a. Joseph   b. Emmanuel   c. Carine   d. Emmanuel   e. Joseph   f. Carine   g. Nico   h. Nico

B. Odd one out: I am 8 years old. (odd chunk)

WRITING

1. Spelling

a. j'ai   b. un chat   c. un cheval   d. un chien marron   e. un perroquet jaune
f. tu as   g. un animal

2. Anagrams

a. J'ai un chien noir.   b. Je n'ai pas de chat vert.   c. Mon mouton s'appelle Ben.
d. J'ai une tortue bleue.   e. J'ai une poule noire.

3. Gapped Translation

a. I am **seven** years old.   b. I have a **small** cat.   c. I do not have a **spider**.
d. **You** have a brown **horse**.   e. I have a sheep **called** Dida.   f. I **have** a white **horse**.
g. Do **you have** a pet?   h. I do not have **pets**.   i. I have a black **guinea pig**.

4. Match

a. 2   b. 1   c. 3   d. 7   e. 4   f. 5   g. 6

5. Rock Climbing

a. Mon chien s'appelle Rocky.   b. J'ai une poule blanche.   c. Je n'ai pas de chat noir.
d. Tu as un grand cheval marron.   e. Tu n'as pas de petite tortue rose.

6. Mosaic Translation

a. J'ai un pingouin noir et blanc.   b. Je n'ai pas de chat mais j'ai un perroquet.
c. Mon mouton s'appelle Nadim et il est blanc.   d. Mon chien est grand, noir et marron.
e. J'ai une petite tortue qui s'appelle Jeanne.

7. Sentence Puzzle

a. J'ai un chien marron.   b. As-tu un animal?   c. Tu as un perroquet.
d. J'ai un chat blanc.   e. J'ai une petite poule.   f. Tu as un poisson bleu et jaune.
g. J'ai un cochon d'Inde blanc.   h. Je n'ai pas d'animaux.   i. J'ai un chat blanc et noir.

8. Tangled Translation

a. Hello, **my name is** Pierre. I am **seven years old. My birthday** is the 18th of July. **I have a** white dog **who is called** Pilou. **He is very** big.

b. **Salut!** Je m'appelle Bernard. **J'ai** neuf **ans.** Mon **anniversaire** est le vingt **juin. J'ai un poisson bleu** qui s'appelle Nemo. Il est très **petit.**

9. Fill in the Gaps

a. Salut! Je m'**appelle** Eric et j'ai dix ans. Mon anniversaire est le **cinq** juin. **J'ai** un cheval **gris** qui **s'appelle** Zar.

b. Salut! Je m'appelle Fred. J'ai **onze** ans. Mon anniversaire est le dix-neuf **janvier. J'ai un chien** marron et **blanc** qui s'appelle Coby. Il est **petit.**

10. Guided Translation

a. Je m'appelle Stéphane et j'ai onze ans.

b. J'ai un lapin gris qui s'appelle Coco.

c. Je n'ai pas de perroquet, mais j'ai une poule.

d. Tu as un chien marron et un chat noir.

e. Tu n'as pas de tortue, mais tu as une araignée.

f. Je n'ai pas de cochon d'Inde blanc.

11. Pyramid Translation

J'ai un oiseau blanc qui s'appelle Dory, mais je n'ai pas de cochon d'Inde noir.

12. Staircase Translation

a. As-tu un chien?

b. Je n'ai pas de mouton blanc.

c. Tu as un cheval noir qui s'appelle Zar.

d. J'ai un chat marron et une grande tortue.

e. J'ai un petit poisson et tu as un pingouin gris.

UNIT 6 – MON CARTABLE

LISTENING

1. Faulty Echo

e.g. Dans mon <u>cartable</u>, j'ai un livre. (cartable – pronounced like "table" in English)

a. Dans ma trousse, il y a <u>un</u> bâton de colle. (un – pronounced like "bab**oon**")

b. <u>Qu'est</u>-ce que tu as dans ton cartable? (kwe)

c. Dans mon cartable, j'ai une <u>calculatrice</u>. (calculat-"rice")

d. Dans ma trousse, j'ai une <u>règle</u>. (Sounds like "reggle")

e. <u>Dans</u> mon cartable, il y a un cahier. (pronounce the "s")

f. Dans ma <u>trousse</u>, j'ai une gomme et un stylo. (trouze)

2. Listen and Match

a. 2   b. 4   c. 6   d. 3   e. 1   f. 5

3. Listen and tick the word you hear

e.g. Dans mon cartable, il y a <u>un classeur</u>.

a. 3 (crayon)   b. 1 (agenda)   c. 2 (taille-crayon)   d. 3 (il y a)   e. 1 (bâton de colle)

4. Fill in the grid with the correct information in English

e.g. Salut! Je m'appelle Julien. Dans mon cartable, il y a une calculatrice rouge.

a. Bonjour! Je m'appelle Martine. J'ai un stylo noir.

b. Salut! Je m'appelle Jacques. Dans ma trousse, il y a une règle blanche.

c. Bonsoir! Je m'appelle Théo. Dans mon cartable, j'ai un crayon rose.

d. Salut! Je m'appelle Valérie. Je n'ai pas de stylo vert.

Answers:

e.g. *calculator / red*

a. **pen / black**

b. **ruler / white**

c. **pencil / pink**

d. **pen / green**

5. Listen and complete with the missing vowels

a. une calculatrice

b. un livre gris

c. un agenda

d. un classeur

e. un cartable

f. un stylo rose

g. un classeur marron

h. un bâton de colle

i. un cartable orange

j. un cahier rose

6. Complete with the missing syllables in the box below

a. J'ai une gom**me**

b. un **crayon** de couleur vert

c. un **agenda** rouge

d. un sty**lo** noir

e. une trou**sse** jaune

f. un carta**ble** blanc

g. J'ai un taille-crayon ro**se**.

h. une **calculatrice** noire

i. une **trousse** verte

j. un clas**seur** orange

7. Can you help the penguin to break the flow? Draw a line between words

a. Dans ma trousse, il y a un bâton de colle gris.

b. Dans ma trousse, il y a une gomme et un bâton de colle.

c. Qu'est-ce que tu as dans ton cartable?

d. Dans ma trousse, je n'ai pas de bâton de colle.

e. Dans mon cartable, il n'y a pas d'agenda rose.

f. Dans ma trousse, j'ai un taille-crayon bleu.

THE LANGUAGE GYM

8. Spot the Intruder. Identify the word in each sentence the speaker is NOT saying

a. Dans ma trousse, <u>il n'y a pas de</u> j'ai un stylo bleu.

b. Dans ma trousse, <u>j'ai</u> il y a un bâton de colle.

c. Dans ma trousse, il y a <u>une gomme,</u> un taille-crayon vert et une règle.

d. Qu'est-ce que tu as <u>n'as pas</u> dans ta trousse?

e. Qu'est-ce qu'il y a <u>sur</u> dans ton cartable?

f. Dans mon cartable, il n'y a pas d'agenda jaune <u>et vert</u>.

g. Dans mon cartable, il y a un crayon, <u>un livre</u> et un cahier rouge.

9. Catch it, Swap it.

Listen, spot the difference between what you hear and the written text and edit each sentence accordingly

Transcript

e.g. Dans <u>ma trousse</u>, j'ai une gomme.   mon cartable → **ma trousse**

a. Dans mon cartable, j'ai un bâton de colle **vert**.   blanc → **vert**

b. Dans ma trousse, il y a un stylo **bleu**.   noir → **bleu**

c. Dans mon cartable, il y a **un classeur** rose.   une trousse → **un classeur**

d. Dans mon cartable, je n'ai pas d'agenda **orange**.   bleu → **orange**

e. Dans ma trousse, il n'y a pas de **stylo** jaune.   crayon → **stylo**

f. Dans mon cartable, **je n'ai** pas d'agenda gris.   il n'y a → **je n'ai**

g. Je n'ai pas de **taille-crayon** rouge   cahier → **taille-crayon**

10. Sentence Bingo

Write 4 sentences into the boxes. You will hear sentences in French. Put a cross in the correct French version to win bingo. Sentence order below matches the audio, not the student book.

1. In my school bag I have a glue stick.   *Dans mon cartable, j'ai un bâton de colle.*

2. In my school bag I have a green glue stick.   *Dans mon cartable, j'ai un bâton de colle vert.*

3. In my pencil case there is a black pen.   *Dans ma trousse, il y a un stylo noir.*

4. In my school bag there is a pink calculator.   *Dans mon cartable, il y a une calculatrice rose.*

5. In my school bag I do not have a blue diary.   *Dans mon cartable, je n'ai pas d'agenda bleu.*

6. In my pencil case there isn't a yellow pencil.   *Dans ma trousse, il n'y a pas de crayon jaune.*

7. In my school bag there isn't a red diary.   *Dans mon cartable, il n'y a pas d'agenda rouge.*

8. I do not have a red exercise book.   *Je n'ai pas de cahier rouge.*

9. I do not have a green pen.   *Je n'ai pas de stylo vert.*

10. I have a pen.   *J'ai un stylo.*

11. Listening Slalom

Listen and pick the equivalent English words from each column

e.g. J'ai un crayon gris et une gomme.

a. Dans ma trousse, j'ai une règle jaune et un crayon rose. *(In my pencil case, I have a yellow ruler and a pink pencil)*

b. Dans mon cartable, il y a un livre bleu et un classeur rouge. *(In my schoolbag, there is a blue book and a red folder)*

c. J'ai un stylo noir et une calculatrice dans ma trousse. *(I have a black pen and a calculator in my pencil case)*

d. Je n'ai pas de gomme blanche, mais j'ai un bâton de colle. *(I don't have a white rubber but I have a glue stick)*

e. Dans ma trousse, il n'y a pas de taille-crayon, mais il y a une règle. *(In my pencil case, there isn't a sharpener but there is a ruler)*

f. J'ai un classeur orange, mais je n'ai pas de cahier rouge dans mon cartable. *(I have an orange folder but I don't have a red exercise book in my schoolbag)*

THE LANGUAGE GYM

READING

1. Sylla-Bees
a. J'ai un taille-crayon.   b. Dans ma trousse, j'ai une gomme blanche.   c. Dans mon cartable, il y a un agenda bleu.

2. Read, Match, Find and Colour
A. Match these sentences to the pictures above
a. pencil   b. schoolbag   c. rubber   d. calculator   e. pen   f. book   g. sharpener   h. ruler
i. diary   j. folder
B. Using the sentences in task A find the French for:
a. un taille-crayon bleu   b. J'ai un cartable.   c. dans ma trousse   d. Il y a une règle.
e. une règle rose   f. j'ai   g. J'ai un stylo.   h. rouge et noir
i. As-tu...?   j. un livre vert

3. True or False
A. Read the paragraphs and for each statement answer True of False
a. true   b. false (21st of July)   c. false (cat and turtle)   d. true   e. false (yellow exercise book)
f. true   g. false (9)   h. false (has a rabbit)   i. false (black pen)   j. true

B. Find in the text above the French for:
a. mon anniversaire est...   b. dans mon cartable   c. J'ai un lapin.   d. un classeur rouge
e. Je n'ai pas de taille-crayon.   f. une gomme orange

4. Tick or Cross
A. Read the text. Tick the box if you find the words in the text, cross it if you do not find them
a. ✓   b. X   c. X   d. ✓   e. ✓   f. ✓   g. X   h. X   i. ✓   j. ✓   k. ✓   l. ✓
B. Find the French in the text above
a. le quinze février   b. dans mon cartable   c. un classeur jaune   d. une règle blanche   e. Je n'ai pas de gomme.

5. Language Detective
A. Find someone who...
a. Sylvie   b. Richard   c. Sylvie   d. Sandra   e. Richard   f. Sandra   g. Richard
B. Odd one out: a white horse (odd chunk)

WRITING

1. Spelling
a. une règle   b. un livre   c. un crayon   d. un taille-crayon   e. un agenda   f. un cartable   g. un bâton de colle

2. Anagrams
a. J'ai une règle.   b. Tu as une gomme.   c. Je n'ai pas de crayon.   d. Tu as un livre.

3. Gapped Translation
a. I have an **orange** pencil and a **glue stick**.   b. In my pencil case there is a green **pen** and a **ruler**.
c. I do not have a **sharpener** but I have a **rubber**.   d. **What** do you **have** in your **schoolbag**? I have a **book**.

15

THE LANGUAGE GYM

4. Match

a. 2   b. 3   c. 7   d. 5   e. 1   f. 4   g. 6

5. Rock Climbing

a. Dans ma trousse, j'ai un stylo.

b. Je n'ai pas de bâton de colle, mais j'ai un classeur.

c. Tu as une gomme jaune et un crayon gris.

d. Dans mon cartable, il y a un livre et un agenda rouge.

e. J'ai un taille-crayon, mais je n'ai pas de règle.

6. Mosaic Translation

a. Dans mon cartable, il y a un classeur orange.

b. J'ai un stylo bleu et un crayon vert.

c. Dans ma trousse, j'ai un taille-crayon et une gomme rose.

d. Qu'est-ce que tu as dans ton cartable? J'ai un livre rouge.

e. Il n'y a pas de calculatrice noire dans ma trousse.

7. Sentence Puzzle

a. Dans mon cartable, j'ai un livre vert.

b. Qu'est-ce que tu as dans ta trousse?

c. Dans ma trousse, il y a une règle jaune.

d. Dans ma trousse, il y a un taille-crayon, mais il n'y a pas de gomme.

8. Tangled Translation

a. Hello, **my name is** Fred. **I am** nine years old. My birthday **is the 26ᵗʰ** of January. I have **a** brown **dog who is called Michel**. In my pencil case, there is **a white rubber and** a red ruler but **there isn't** a grey **sharpener**.

b. Bonjour! **Je m'appelle** Claire. J'ai treize ans. Mon anniversaire **est le quinze** février. J'ai **un cheval** noir qui s'appelle Bandit. **Dans mon cartable, il y a** un livre vert et **un cahier jaune,** mais il n'y a pas de **classeur rose.**

9. Fill in the Gaps

a. Salut! Je m'appelle Jean et **j'ai** onze ans. Mon anniversaire est le **vingt** juin. Dans ma **trousse,** il y a un **crayon,** un stylo et **une** gomme **blanche.**

b. Salut! **Je** m'appelle Caroline. Chez moi, j'ai un **lapin** gris. Dans mon cartable, **il y a** un livre, une **règle** et un cahier **jaune,** mais il n'y a pas de **taille-crayon.**

10. Guided Translation

a. Dans mon cartable, il y a un agenda orange.

b. Dans ma trousse, j'ai un crayon bleu.

c. Il n'y a pas de gomme dans ma trousse.

d. Je n'ai pas de règle, mais j'ai un livre.

e. J'ai une trousse rouge dans mon cartable.

11. Pyramid Translation

Dans mon cartable, j'ai un livre jaune et un classeur rouge, mais je n'ai pas de règle.

12. Staircase Translation

a. J'ai un stylo rouge.

b. Qu'est-ce que tu as dans ton cartable?

c. Dans ma trousse, il y a un crayon vert et une règle.

d. Je n'ai pas de gomme, mais j'ai un taille-crayon gris.

e. Dans mon cartable, il n'y a pas de livre, mais il y a une calculatrice et un agenda.

UNIT 7 – D'OÙ VIENS-TU?

LISTENING

1. Split sentences. Listen and match
a. 4   b. 8   c. 2   d. 7   e. 1   f. 3   g. 5   h. 6

2. Faulty Echo
e.g. **Je viens d'Argentine.** *(Arguentine)*
a. Je viens de **Chine.** (Chaine)   b. Je viens d'**Espagne.** (Espagne)
c. Je **parle** allemand. (parlé)   d. Je viens d'**Angleterre.** (Angle- terre)
e. Je parle **anglais** et français. (anglaise)   f. Je parle italien, mais je ne parle pas **portugais.** (portoogais)
g. Je parle **très** bien chinois. (treize)

3. Listen and tick the word you hear
a. 2 (Je ne parle pas **anglais.**)   b. 3 (Je viens d'Italie et **je parle** français.)
c. 2 (Je parle très bien **espagnol.**)   d. 1 (Je viens de **Chine** et je parle anglais.)
e. 2 (**Je viens de** France et je parle allemand.)

4. Fill in the grid with the correct information in English
a. Romain ; France ; French   b. Albert ; Italy ; English (doesn't speak)
c. Patricia ; England ; Spanish   d. Raymond ; Portugal ; German

5. Listen and complete with the missing letter
a. Je viens d'Espagne.   f. Parles-tu chinois? Je parle gallois.
b. Je viens de France.   g. Je viens de Chine et je parle français.
c. Je parle très bien anglais.   h. Je parle français et un peu italien.
d. Je ne parle pas espagnol.   i. Je viens du Portugal et je parle portugais.
e. Je parle aussi allemand.   j. Parles-tu italien? Oui, très bien.

6. Complete with the missing syllables in the box below
a. Je parle **chinois.**   b. Je ne parle pas **gallois.**   c. Je viens d'**Angleterre.**
d. Je parle **portugais.**   e. Parles-tu **anglais?**   f. Je viens d'**Écosse** et je parle **anglais.**
g. Je viens de **France** et je parle français.   h. Je viens d'Italie et je parle chinois.
i. Je ne parle pas **très** bien espagnol.   j. Parles-tu italien? Oui, très bien.

7. Can you help the penguin to break the flow? Draw a line between words
a. Je parle anglais et aussi italien.   b. Je viens d'Allemagne, mais je parle anglais.
c. Je viens de Chine et je parle un peu allemand.   d. Je ne parle pas irlandais, mais je parle espagnol.
e. Je parle très bien anglais et français.   f. Quelles langues parles-tu? Je parle chinois.

8. Spot the Intruder. Identify the word in each sentence the speaker is NOT saying
a. Je parle anglais, **espagnol** mais je ne viens pas d'Angleterre.
b. Je viens d'Australie et je **ne** parle **pas** un peu chinois.
c. Je parle allemand et je parle **suis** aussi italien.
d. Parles-tu espagnol? Oui, et **mais** je parle aussi français.
e. Je ne parle pas gallois **et** mais je parle irlandais.
f. Je viens du Portugal. Je parle portugais **italien.**
g. Je ne parle pas très bien chinois **tu parles.**

THE LANGUAGE GYM

9. Catch it, Swap it.

Listen, spot the difference between what you hear and the written text and edit each sentence accordingly.

Transcript:

a. Je viens d'Italie et je parle très bien italien et **chinois**.   français → **chinois**

b. Je viens d'Angleterre. Je parle anglais, mais je ne parle pas **français**.   chinois → **français**

c. Je viens d'**Allemagne**. Je parle anglais, mais je ne parle pas espagnol.   Australie → **Allemagne**

d. Je viens d'Amérique et je parle un peu **portugais**.   irlandais → **portugais**

e. Je viens d'Écosse et je parle **très bien** allemand.   un peu → **très bien**

f. Je viens d'**Angleterre**, mais je ne parle pas très bien anglais.   Irlande → **Angleterre**

10. Sentence Bingo. Write 4 sentences into the boxes. You will hear sentences in French. Put a cross in the correct French version to win bingo. Sentence order below matches the audio, not the student book.

1. Je viens d'Australie et je parle très bien italien.   I come from Australia and I speak Italian very well.

2. Je parle anglais, mais je ne parle pas espagnol.   I speak English, but I don't speak Spanish.

3. Je viens d'Irlande.   I come from Ireland.

4. Je parle très bien portugais.   I speak Portuguese very well.

5. Je ne parle pas allemand.   I don't speak German.

6. Je parle un peu chinois.   I speak a little Chinese.

7. Je ne parle pas très bien gallois.   I don't speak Welsh very well.

8. Je parle français, mais je ne parle pas portugais.   I speak French, but I don't speak Portuguese.

9. Je viens d'Italie.   I come from Italy.

10. Je viens d'Angleterre.   I come from England.

11. Listening Slalom

a. My name is Stéphane. I am from Italy, but I speak Portuguese.

b. Hi! I speak Spanish, but I am from Germany.

c. I am from Spain and I speak a little French.

d. I speak a little Chinese, but I don't speak English.

e. You don't speak Irish very well, but you speak Italian.

f. I am not from England. I am from Argentina and I speak Spanish.

READING

1. Sylla-Bees

a. J'ai sept ans, je viens de France et je parle chinois.

b. Je viens d'Italie, mais je ne parle pas très bien italien.

2. True or False

A. Read the paragraphs below and answer True or False

a. true   b. false (dog)   c. false (Spain)   d. true   e. true   f. false (he likes it)

g. false (Italian)   h. false (very well)   i. true   j. false (she likes speaking in Spanish)

B. Find in the text above the French for:

a. Il a un an.   b. Il est très gentil.   c. Je n'ai pas d'animaux.

d. J'aime beaucoup.   e. J'aime parler.   f. Je n'aime pas du tout.

3. Tick or Cross
A. Read the text. Tick the box if you find the words in the text, cross it if you do not find them
a. X   b. X   c. ✓   d. X   e. ✓   f. X   g. X   h. X   i. ✓   j. X   k. ✓   l. ✓
B. Find the French in the text above
a. le quinze octobre   b. Je ne parle pas chinois.   c. Je parle très bien anglais.
d. J'aime beaucoup l'allemand.   e. Je n'aime pas du tout l'espagnol.

4. Language Detective
A. Find someone who…
a. Martine   b. Martine   c. Carine   d. Carine / Martine   e. Richard   f. Richard / Carine   g. Carine
B. Odd one out
I don't like Spanish (odd chunk)

WRITING
1. Spelling
a. allemand   b. Allemagne   c. Angleterre   d. anglais   e. Je parle espagnol.
f. Je ne parle pas chinois.

2. Anagrams
a. Je parle espagnol.   b. Je viens d'Angleterre.   c. Je ne parle pas allemand.   d. J'aime le gallois.
e. Je parle portugais.

3. Gapped Translation
a. I speak **German** and **French** but I don't speak **English**.
b. I am from **Germany** and I speak Irish **very well**.
c. I am from **England** but I don't speak **English**.
d. What **languages** do you **speak**? I speak **Irish**.

4. Match Up
a. 4   b. 3   c. 5   d. 2   e. 6   f. 1   g. 7

5. Rock Climbing
a. Je viens de France et je ne parle pas allemand.
b. Je parle très bien chinois, mais je ne parle pas français.
c. Quelles langues parles-tu? Je parle anglais.
d. D'où viens-tu? Je viens d'Angleterre.
e. Je parle un peu anglais et irlandais.

6. Mosaic Translation
a. Je viens d'Italie et je parle italien et français.
b. D'où viens-tu? Je viens d'Angleterre.
c. Je parle un peu français et chinois.
d. Quelles langues parles-tu? Je parle très bien allemand.
e. Je parle très bien anglais, mais je parle aussi espagnol.

THE LANGUAGE GYM

7. Fill in the Gaps

a. Salut! Je m'appelle Robert. J'ai **huit** ans. Mon anniversaire est le vingt **juin**. Je viens d'**Italie** et **je parle** allemand et **français**. Je parle aussi un **peu** anglais.

b. Salut! Je m'appelle Marie. J'ai un chien **noir**. Je viens **de** France. Je parle très **bien** allemand et espagnol. Je parle **aussi** un **peu** français. J'aime beaucoup le **portugais**.

8. Tangled Translation

a. Hello, **my name is** Michel. **I am** seven years old. My birthday **is the 13th** of March. **I am** from **France.** I speak French and English **very well.** I also **speak a little** Italian, **but** I don't speak **German.**

b. Bonjour! **Je m'appelle** Lauren. **J'ai** douze ans. Mon anniversaire **est le 4** avril. J'ai **un chien** noir **qui s'appelle** Colli. Je viens d'**Allemagne. Je parle** très bien anglais **et** je parle **un peu français,** mais **je ne parle pas** italien.

9. Sentence Puzzle

a. Je parle très bien anglais et français.

b. Quelles langues parles-tu? Je parle espagnol.

c. D'où viens-tu? Je viens d'Australie.

d. Je parle anglais, mais je ne parle pas allemand.

10. Guided Translation

a. Salut! Je m'appelle Claire. Je viens d'Australie.

b. Je viens d'Espagne. Je parle très bien italien.

c. Je parle très bien français et je parle un peu irlandais.

d. Je parle allemand et français, mais je ne parle pas chinois.

11. Pyramid Translation

Salut! Je m'appelle Sylvie. Je parle allemand et français, mais je ne parle pas chinois.

12. Staircase Translation

a. Je viens d'Irlande.

b. Je parle anglais et français.

c. Je ne parle pas allemand, mais je parle italien.

d. Je parle très bien chinois, mais je ne parle pas espagnol.

e. Je viens d'Écosse. Je parle un peu portugais, mais je ne parle pas irlandais.

UNIT 8 - QUEL TEMPS FAIT-IL?

LISTENING

1. Listen and tick the word you hear
a. 2 (Il fait froid.)   b. 1 (Il y a des orages.)   c. 3 (Il pleut.)

d. 1 (Il fait beau.)   e. 2 (Cette semaine, il y a des nuages.)

2. Faulty echo
e.g. Aujourd'hui, il y a du soleil. *(Audjourd'hui)*

a. En hiver, il <u>fait</u> froid. (fête)   b. Normalement, il <u>pleut</u>. (pleute)

c. En <u>été</u>, il fait chaud. (éte)   d. Aujourd'hui, il y a des <u>orages</u>. (oranges)

e. D'habitude, il fait <u>beau</u>. (bio)   f. Quel <u>temps</u> fait-il? (temps – pronounce the p and s)

g. Cette semaine, il y a du <u>vent</u>. (vente)

3. Listen and Match - Transcript
a. Aujourd'hui, il fait chaud.   b. Normalement, il pleut.   c. En été, il y a du soleil.

d. En automne, il y a des nuages.   e. En hiver, il neige.   f. Cette semaine, il y a des orages.

g. Au printemps, il y a du vent.

Answer Key:

a. 3   b. 5   c. 2   d. 4   e. 1   f. 7   g. 6

4. Listen and complete the missing letter
a. Il fait froid.   b. Il y a du vent.   c. Aujourd'hui, il pleut.   d. Il y **a** des orages.

e. Il fait chaud.   f. Il y a du soleil.   g. Aujourd'hui, il neige.   h. Il fait mauvais.

i. Il y a des nuages.

5. Listen and complete with the missing syllable
a. Au printemps, il pl**eut**.   b. Aujourd'hui, il fait b**eau**.   c. En automne, il fait **fr**oid.

d. En hiver, il **nei**ge.   e. D'habitude, il y a du soleil.   f. En été, il fait ch**aud**.

g. En hiver, il fait **mau**vais.

6. Can you help the penguin to break the flow? Draw a line between words
a. Quel temps fait-il aujourd'hui? Il neige.   b. En été, il fait chaud à Paris.

c. En automne, il fait beau à Marseille.   d. En hiver, il fait froid à Calais.

e. D'habitude, il y a des nuages à Poitiers.   f. Aujourd'hui, il y a du vent et il pleut à Brest.

7. Complete with the missing syllables in the box below
a. À Dieppe, il fait **beau**.   f. À Avignon, il y a du vent.

b. À Marseille, il y a du **soleil**.   g. À Rouen, il **neige**.

c. À Calais, il **pleut**.   h. À Brest, il fait **froid**.

d. À Bordeaux, il fait **mau**vais.   i. À Paris, il y a des **orages**.

e. À Lille, il y a des **nuages**.   j. À Poitiers, il fait **chaud**.

THE LANGUAGE GYM

8. Fill in the grid with the correct information in English

a. normally ; It is good weather.

b. in the winter ; It is foggy.

c. in the spring ; It rains.

d. today ; It is hot.

e. usually ; It is sunny.

f. this week ; It is cold.

9 Spot the Intruder

a. Quel temps fait-il **pas** à Lille?   **pas**

b. À Rouen, il fait **il y a** beau.   **il y a**

c. À Dieppe, **comment** il fait mauvais.   **comment**

d. Aujourd'hui, il y a **j'ai** des nuages.   **j'ai**

e. À Calais, **il pleut** il y a du vent.   **il pleut**

f. En hiver, **chaud** il pleut à Brest.   **chaud**

10. Listening Slalom

e.g. Aujourd'hui, il fait chaud à Nice.   *[Today it is hot in Nice.]*

a. Normalement, il fait beau à Avignon.   [Normally it is good weather in Avignon.]

b. Au printemps, il pleut à Calais.   [In spring it rains in Calais.]

c. En automne, il fait mauvais à Poitiers.   [In autumn it is bad weather in Poitiers.]

d. Aujourd'hui, il fait froid à Rouen.   [Today it is cold in Rouen.]

e. D'habitude, il y a du soleil à Bordeaux.   [Usually it is sunny in Bordeaux.]

f. Cette semaine, il y a des orages à Paris.   [This week it is stormy in Paris.]

g. Aujourd'hui, il neige à Dieppe.   [Today it snows in Dieppe.]

READING

1. Sylla-Bees

a. Salut! Je viens d'Espagne. Aujourd'hui, à Madrid, il fait froid.

b. Bonjour! Je viens de France. En été, à Paris, il fait beau.

2. True or False (map)

a. false   b. true   c. false   d. true   e. false   f. true   g. true   h. false

3. Read, Match, Find and Colour

A. Match the sentences to the pictures above

a. It snows.   b. It's sunny.   c. stormy   d. It rains.   e. It's windy.   f. It's good weather.

g. It's cloudy.   h. It's hot.   i. It's bad weather.   j. It's cold.

B. Using the sentences in task A find the French for:

a. Il fait chaud.   b. Il y a des nuages.   c. en hiver   d. Il fait beau.   e. cette semaine

f. Il fait froid.   g. Il pleut.   h. aujourd'hui   i. Il y a du soleil.   j. Il y a du vent.

4. True or False

A. Read the paragraphs below and answer True or False

a. false (10)   b. true   c. false (He is from France.)   d. true   e. false (It is cold)   f. true

g. false (She is from Belgium.)   h. true   i. false (She speaks English & Chinese very well.)   j. true

B. Find in the texts above the French for:

a. ...mais aujourd'hui...   b. ...normalement, il fait chaud...

c. En Belgique, d'habitude, il fait mauvais...   d. ...mais aujourd'hui, il ne fait pas beau...

5. Language Detective
A. Read & answer the questions
a. Daniel   b. Pierre   c. in Dublin   d. in Rome   e. in Rome   f. Carine   g. in Montreal

B. Odd two out
I am from England / I have a white and grey cat (odd ones)

WRITING

1. Spelling
a. au printemps   b. en hiver   c. Il fait beau.   d. en automne   e. Il pleut.
f. il y a des orages.   g. il y a des nuages   h. En été, il fait chaud.

2. Gapped Translation
a. I am **from** Australia and it is **good** weather **today**.
b. In **autumn** it is **windy** in New York.
c. I **am** from England and **usually** it is not **good** weather.
d. I am from **Scotland** and **normally** it is **bad** weather.
e. Today it is **cloudy** and it is **windy**, but it isn't **stormy**.

3. Fill in the gaps
a. Salut! Je m'appelle Claude. J'ai **quatorze** ans. Je viens d'Angleterre. À Londres, d'**habitude**, il y a du **vent** et **il fait** froid, **mais** aujourd'hui, il fait chaud.
b. Salut! **Je** m'appelle Julia. Je viens d'Italie et **j'ai** dix ans. **En** Italie, en **été**, il fait **beau**, mais aujourd'hui, il pleut et il y a des **nuages**.

4. Sentence Puzzle
a. En Espagne, il fait beau.   b. En Angleterre, il fait mauvais et il pleut.
c. Quel temps fait-il en Italie?   d. Il pleut et il y a du vent, mais il n'y a pas d'orages aujourd'hui.

UNIT 9 - OÙ HABITES-TU?

LISTENING

1. Listen and tick the word you hear
a. 1   b. 1   c. 1   d. 2   e. 2

2. Faulty Echo
e.g. J'habite à Dieppe. *(ai)*   a. J'aime mon <u>village</u>. (vill âge)   b. J'adore ma <u>ville</u>. (vile)
c. Je n'aime <u>pas</u> ma ville. (pass)   d. <u>J'habite</u> à Londres. (Je Habite)   e. Mon village est <u>petit</u>. (petite)
f. Ma ville <u>est</u> moche. (aist)   g. ...car elle est <u>bruyante</u> (bruyant)   h. ...car il est <u>calme</u> (calm)

3. Listen and complete with the missing letters
a. J'habite à New York.   b. Ma ville est jolie.   c. Mon village est petit.
d. J'habite à Édimbourg.   e. Ma ville est calme.   f. Mon village est joli.
g. Mon village est bruyant.   h. J'aime ma ville.   i. Je n'aime pas mon village.
j. Ma ville est petite.

4. Narrow Listening. Gap-fill
a. Salut! Je m'appelle Fabien et j'ai onze **ans**. Je viens d'**Irlande**, mais j'habite **en** Angleterre. Je parle un **peu** anglais et je parle très **bien** irlandais et **espagnol**. J'aime mon **village** car il est calme et **joli**.
b. Salut! Je m'appelle Rose et j'ai **onze** ans. Je viens d'Espagne mais **j'habite** en Allemagne. Je parle **allemand**, espagnol et **français**. J'adore ma **ville** car elle **est** grande mais **bruyante**.

5. Fill in the grid with the correct information in English
a. Albert ; likes it ; pretty   b. Antoine ; doesn't like it ; small   c. Lorène ; loves it ; lively
d. Charlotte ; likes it ; big   e. Michel ; hates it ; ugly   e. Franck ; loves it ; quiet

6. Complete with the missing syllables in the box below
a. **J'ha**bite à Madrid.   b. Ma ville est **mo**che.   c. J'aime ma ville.   d. Je dé**tes**te ma ville.
e. J'adore mon **vil**lage.   f. Je n'aime **pas** mon village.   g. J'aime **mon** village.
h. Mon village est **mo**che.   i. Aim**es**-tu ton village?   j. Mon village est bru**y**ant.

7. Spot the Intruder. Identify the word in each sentence the speaker is NOT saying
a. pas   b. le   c. très   d. jolie   e. la   f. en   g. où   h. mon

8. Catch it, Swap it: listen, spot the difference and edit each sentence accordingly
a. petit → **bruyant**   b. grande → **moche**   c. calme → **animée**   d. bruyante → **petite**
e. moche → **grande**   f. calme → **joli**   g. animée → **touristique**

9. Sentence Bingo. Write 4 sentences into the boxes. You will hear sentences in French. Put a cross in the correct French version to win bingo. Sentence order below matches the audio, not the student book.
1. J'aime ma ville car elle est grande.   I like my town because it is big.
2. Je déteste ma ville car elle est très grande.   I hate my town because it is very big.
3. J'adore New York car c'est une ville animée.   I love New York because it is a lively town.
4. J'adore ma ville car elle est calme.   I love my town because it is quiet.
5. Je n'aime pas mon village car il est moche.   I don't like my village because it is ugly.

THE LANGUAGE GYM

6. Je déteste ma ville car elle est moche. I hate my town because it is ugly.
7. Je n'aime pas mon village car il est petit. I don't like my village because it is small.
8. J'aime ma ville car elle est jolie. I like my town because it is pretty.
9. J'aime mon village car il est calme. I like my village because it is quiet.
10. Je n'aime pas ma ville car elle est horrible. I don't like my town because it is horrible.

10. Listening Slalom
e.g. Je m'appelle Jean. J'habite à Madrid. J'adore ma ville.
a. J'habite à New York. J'adore ma ville car elle est animée. I live in New York. I love my town because it is lively.
b. J'habite à Marseille. J'aime ma ville car elle est touristique. I live in Marseille. I like my town because it is touristy.
c. Je n'aime pas ma ville car elle est petite. I don't like my town because it is small.
d. J'aime ma ville car elle est jolie et calme. I like my town because it is pretty and quiet.
e. Je déteste ma ville car elle est moche et grande. I hate my town because it is ugly and big.
f. J'habite à Londres. C'est grand, animé et touristique. I live in London. It is big, lively and touristy.

READING
1. Sylla-Bees
a. J'habite à Paris. J'aime ma ville car elle est jolie. b. J'habite à New York. J'adore ma ville car elle est grande.

2. True or False
A. Read the paragraphs below and answer True or False
a. false (cinq)   b. false (English)   c. true   d. false (It is hot.)   e. true   f. false (big and touristy)
g. true   h. true   i. false (She lives in England.)   j. false (small, pretty and touristy)
B. Find in the text above the French for:
a. Normalement, il fait chaud.   b. Il est petit et joli.   c. j'adore
d. D'habitude, il fait froid.   e. Elle est grande et touristique.   f. J'habite à Paris.

3. Tick or Cross
A. Read the text. Tick the box if you find the words in the text, cross it if you do not find them
a. ✓   b. ✓   c. X   d. X   e. X   f. ✓   g. X   h. X   i. ✓   j. X   k. ✓   l. ✓   m. ✓
B. Find the French in the text above
a. Aujourd'hui, il pleut à Gatineau.   b. Je préfère une ville calme.
c. Normalement, à Paris, il y a du soleil.   d. Je déteste ma ville car elle est touristique.
e. ...car elle est animée, mais elle est bruyante.

4. Language Detective
A. Find someone who...
a. Danielle   b. Aurélie   c. all 3   d. Danielle   e. Danielle   f. Richard   g. Richard & Aurélie
B. Odd one out: It is windy. (odd chunk)

THE LANGUAGE GYM

WRITING

1. Spelling
a. animée
b. bruyant
c. dans ma ville
d. mon village
e. petit
f. Ma ville est moche.
g. J'habite à Londres.

2. Anagrams
a. J'habite en Belgique.
b. J'aime Londres.
c. Je déteste ma ville.
d. ...car il est animé

3. Gapped Translation
a. I am **from** Australia but I **live** in Scotland.
b. I like my **village** because it is **very** pretty and **big**.
c. I **live** in London. I **love** my **town**.
d. Do you like **your** town? No, I don't like **my** town.
e. Where do **you live**? I live in a **lively** but **small** village.

4. Match Up
a. 7   b. 6   c. 4   d. 3   e. 1   f. 5   g. 2

5. Rock Climbing
a. Je viens d'Angleterre et j'habite à Rome.
b. Je n'aime pas ma ville car elle est moche.
c. Aimes-tu ta ville? Non, car elle est petite.
d. J'aime mon village car il est grand.
e. Où habites-tu? J'habite à Édimbourg.

6. Mosaic Translation
a. Ma ville est jolie et petite, mais elle est touristique.
b. Où habites-tu? J'habite dans un grand village.
c. Je n'aime pas ma ville car elle est moche et bruyante.
d. Aimes-tu ta ville? Oui, j'adore Londres.
e. Mon village est calme et joli. Il est aussi petit.

7. Fill in the Gaps
a. Salut! Je m'appelle Simon. J'ai **douze** ans. Je viens du **Québec,** mais j'habite **en** Angleterre. **Je parle** un peu allemand. J'aime mon **village** car il **est** calme.
b. Salut! Je m'appelle Julia. Je viens d'Italie, mais j'**habite** à **Glasgow**. Je parle très **bien** anglais et italien. Je parle aussi un **peu** espagnol. J'adore ma **ville** car elle est calme **et** jolie.

8. Tangled Translation
a. Hello, **my name is** Bertrand. **I am from** Canada, **but** I live **in Germany**. I speak German **and French**. In Germany, **usually**, it rains. I live **in Berlin and** I don't like my town **because it is** very big and **noisy**.
b. Bonjour! **Je m'appelle** Joe. J'ai **onze** ans et **je n'ai pas** d'animaux. J'habite **à New York**. J'aime **ma ville** car elle est **très grande** et **jolie**. J'adore **aussi** ma ville **car** elle est animée et **elle n'est pas** moche. À New York, **normalement**, il fait beau **et** il fait **chaud**.

9. Sentence Puzzle
a. J'aime ma ville car elle est très jolie.
b. Où habites-tu? J'habite à Paris et je n'aime pas ma ville.
c. Aimes-tu ton village? J'adore mon village car il est petit.
d. Je déteste ma ville car elle est très bruyante et aussi touristique.

10. Guided Translation
a. Salut! Je m'appelle Patricia. J'habite à Rome.
b. Je viens de France. Je parle très bien français.
c. J'habite dans une ville. J'aime ma ville car elle est calme.
d. Ma ville est animée et aussi touristique.
e. Où habites-tu? J'habite à Bordeaux.

THE LANGUAGE GYM

11. Pyramid Translation

Salut! Je m'appelle Charlotte. J'habite à Londres. J'aime ma ville car elle est grande et jolie, mais elle n'est pas touristique.

12. Staircase Translation

a. J'aime ma ville.

b. Je n'aime pas ma ville car elle est touristique.

c. J'adore ma ville car elle est jolie et animée.

d. Je déteste ma ville car elle est grande, touristique et aussi bruyante.

e. J'aime ma ville car elle est jolie, petite et aussi calme.

UNIT 10 – DANS MA VILLE

LISTENING

1. Listen and tick the word you hear

a. 2 (place)   b. 1 (cinéma)   c. 2 (il n'y a pas de)   d. 3 (piscine)   e. 2 (églises)

2. Faulty Echo.

e.g. Dans mon <u>village</u> il y a un cinéma.   *(vill age)*

a. <u>Dans</u> ma ville, il y a une église.   (danz)

b. Dans mon village, il y a <u>une</u> bibliothèque.   (un)

c. Dans ma ville, il y a des restaurants et des <u>parcs</u>.   (parks)

d. Dans mon village, il n'y a <u>pas</u> de piscine.   (paz)

e. Dans ma ville, il y a une place, mais il n'y a pas de <u>musée</u>.   (mussées)

f. Dans mon village, il y a un centre sportif et un <u>château</u>.   (dchâteau)

3. Listen and complete with the missing vowel

a. mon village   b. une place   c. une piscine   d. ma ville   e. un cinéma

f. un musée   g. un centre sportif   h. une boulangerie   i. une église   j. Il y a une place.

4. Complete with the missing syllables in the box below

a. un super**marché**   b. une **boulan**gerie   c. un maga**sin**   d. des écoles   e. une pl**age**

f. une pharma**cie**   g. une biblio**thè**que   h. un ch**â**teau   i. des rest**au**rants   j. **ma** ville

5. Fill in the grid with the information in English

a. museum ; beach   b. Shops, restaurants ; stadium

c. schools, parks ; swimming pool   d. supermarket, library ; theatre

6. Spot the Intruder. Identify the word in each sentence the speaker is NOT saying

a. un   b. une   c. aussi   d. petit   e. j'habite   f. jolie

7. Narrow Listening. Gap-fill

a. J'habite **dans** une **grande** ville en France. Dans ma **ville**, il y a un **cinéma**, une **piscine** et des **restaurants**. J'aime **ma** ville car elle est **calme** et jolie.

b. Je viens d'**Allemagne**, mais j'habite en **Espagne**, dans un petit **village**. J'**adore** mon village car il est **animé**, mais **un** peu **bruyant**.

8. Listening Slalom

a. Dans ma ville, il y a un centre sportif et un musée.   In my town, there is a sports centre and a museum.

b. J'habite à Dieppe. Il y a une plage et un château.   I live in Dieppe. There is a beach and a castle.

c. Dans ma ville, il y a des magasins, mais il n'y a pas de piscine. In my town, there are shops but there isn't a swimming pool.

d. J'adore mon quartier car il est grand. Il y a des restaurants et des magasins. I love my neighbourhood because it is big. There are restaurants and shops.

e. J'aime ma ville car elle est jolie. Il y a une place, mais il n'y a pas de stade. I like my town because it is pretty. There is a square but there isn't a stadium.

f. Dans ma ville, il n'y a pas de cinéma, mais il y a une bibliothèque.   In my town, there isn't a cinema, but there is a library.

READING

1. Sylla-Bees
a. Dans ma ville il y a une église, mais il n'y a pas de gare.
b. Dans mon quartier, il y a un centre sportif et un stade.

2. True or False
A. Read the paragraphs and decide if the statements are True or False
a. true
b. false (he likes)
c. false (big and touristy)
d. true
e. false (no cinema)
f. false (she is from France)
g. false (in Spain)
h. false (it is hot)
i. true
j. true
B. Find in the text above the French for:
a. la capitale de l'Allemagne
b. Il y a une gare.
c. J'aime ma ville.
d. Il n'y a pas de cinéma.

3. Tick or Cross
A. Read the text. Tick the box if you find the words in the text, cross it if you do not find them
a. ✓   b. X   c. X   d. ✓   e. X   f. ✓   g. X   h. ✓   i. X   j. ✓   k. ✓   l. X

B. Find the French in the text above
a. un petit village qui s'appelle
b. Il n'y a pas de gare.
c. J'habite dans une ville qui s'appelle Rome.
d. Dans mon quartier, il y a un parc.
e. mais il n'y a pas de cinéma

4. Language Detective
A. Find someone who...
a. Roberto   b. Fatima   c. Roberto   d. Fatima + Roberto   e. Mario   f. Fatima
g. Fatima
B. Odd two out:
but I live in England – I don't like my town. (two odd chunks)

WRITING

1. Spelling
a. une gare
b. un stade
c. une piscine
d. un restaurant
e. une bibliothèque
f. un centre sportif
g. Il y a un musée.
h. Il n'y a pas de parc.

2. Anagrams
a. Il y a un parc.   b. Il y a une cathédrale.   c. Il n'y a pas de gare.   d. Il y a des restaurants.

3. Gapped Translation
a. In my **neighbourhood**, there is a **sports centre** and a stadium.
b. In my **town**, there is a big **square**.
c. I **live** in London. In London **there** are mosques and a **castle**.
d. What **is** there in your neighbourhood? There is a pretty **square**.
e. In my **town**, there is a **church** and a **library**.

THE LANGUAGE GYM

4. Match Up
a. 4   b. 1   c. 2   d. 3   e. 5   f. 7   g. 6

5. Rock Climbing
a. Dans mon quartier, il y a une bibliothèque et un château.
b. Dans ma ville, il y a un stade et une cathédrale.
c. Dans mon village, il n'y a pas de centre sportif, mais il y a un supermarché.
d. Qu'est-ce qu'il y a dans ta ville? Il y a une jolie place et une piscine.
e. Je n'aime pas mon quartier car il n'y a pas de cinéma.

6. Fill in the Gaps
a. Salut! Je m'appelle Stefano. J'ai **neuf** ans. Je viens d'**Italie,** mais j'habite à Londres. J'aime ma ville car elle est très **grande.** Dans mon **quartier,** il y a une **piscine** et **un** stade.
b. Salut! Je m'appelle Nancy. Je viens d'Amérique, mais **j'habite** à Bordeaux. J'aime ma ville car **normalement** il fait chaud. Dans **ma** ville, **il y a** des temples et **aussi** des piscines.

7. Tangled Translation
a. Hello, **my name is Anne.** I am **from** England, **but** I live **in Italy.** I speak Italian **and German.** In Italy, **normally** the weather is good. **In my neighbourhood,** there is **a bakery** and shops, **but** there isn't a **train station.**

b. Bonjour! **Je m'appelle** Jorge. J'ai **douze** ans. J'habite **en Allemagne,** dans la capitale qui s'appelle Berlin. J'aime **ma ville** car elle est **très grande** et touristique. **Dans mon** quartier, **il y a** une pharmacie **et un magasin,** mais il n'y a pas de **boulangerie.** Où habites-tu **et qu'est-ce** qu'il y a **dans ta** ville?

8. Sentence Puzzle
a. Dans mon quartier, il y a des magasins et aussi des supermarchés.
b. Qu'est-ce qu'il y a dans ta ville? Il y a une piscine et une place.
c. Dans ma ville, il y a une cathédrale, mais il n'y a pas de gare.
d. Ma ville est jolie car il y a des magasins et des restaurants.

9. Guided Translation
a. Salut! Je m'appelle Mafalda. J'habite dans une jolie ville qui s'appelle Paris.
b. J'habite dans une jolie ville. Dans ma ville, il y a des magasins, mais il n'y a pas de piscine.
c. Dans mon quartier, il y a une école et une église, mais il n'y a pas de parc. C'est très calme.

10. Staircase Translation
a. J'aime ma ville.
b. Je n'aime pas ma ville car il n'y a pas de cinéma.
c. Dans mon quartier, il y a une bibliothèque, mais il n'y a pas de centre sportif. Il est joli.
d. Dans ma ville, il y a un stade, mais il n'y a pas de gare. Elle est bruyante et aussi touristique.
e. Dans ma ville, il y a une église, mais il n'y a pas de cathédrale. Elle est petite et aussi calme, mais elle est moche.

Printed in Great Britain
by Amazon

86159646R00020